UDC

中华人民共和国国家标准

P

GB/T 51097－2015

水土保持林工程设计规范

Code for design of soil and water conservation
forest engineering

2015－03－08 发布　　　　2015－11－01 实施

中华人民共和国住房和城乡建设部
中华人民共和国国家质量监督检验检疫总局　联合发布

中华人民共和国国家标准

水土保持林工程设计规范

Code for design of soil and water conservation
forest engineering

GB/T 51097 - 2015

主编部门:国　　家　　林　　业　　局
批准部门:中华人民共和国住房和城乡建设部
施行日期:2　0　1　5　年　1　1　月　1　日

中国计划出版社

2015　北　　京

中华人民共和国国家标准

水土保持林工程设计规范

GB/T 51097-2015

☆

中国计划出版社出版

网址：www.jhpress.com

地址：北京市西城区木樨地北里甲 11 号国宏大厦 C 座 3 层

邮政编码：100038　电话：(010) 63906433（发行部）

新华书店北京发行所发行

三河富华印刷包装有限公司印刷

850mm×1168mm　1/32　2 印张　48 千字

2015 年 10 月第 1 版　2015 年 10 月第 1 次印刷

☆

统一书号：1580242·741

定价：12.00 元

中华人民共和国住房和城乡建设部公告

第 784 号

住房城乡建设部关于发布国家标准 《水土保持林工程设计规范》的公告

现批准《水土保持林工程设计规范》为国家标准,编号为 GB/T 51097—2015,自 2015 年 11 月 1 日起实施。

本规范由我部标准定额研究所组织中国计划出版社出版发行。

中华人民共和国住房和城乡建设部

2015 年 3 月 8 日

前　　言

本规范是根据原建设部《关于印发〈2007 年工程建设标准制订、修订计划(第二批)〉的通知》(建标〔2007〕126 号)的要求,由国家林业局调查规划设计院会同安徽省林业调查规划院共同编制完成。

在本规范的编制过程中,编制组在广泛调查研究,认真总结多年来水土保持林工程设计的实践经验,参考有关国内、国际先进标准,结合当前的经济发展水平和水土保持林工程建设实际,确定规范的内容和尺度,并在广泛征求意见的基础上,反复讨论、修改和完善,最后经审查定稿。

本规范共分 7 章和 7 个附录,主要内容包括:总则、术语、综合调查、总平面图设计、营造林工程设计、森林保护工程设计和配套工程设计等。

本规范由住房城乡建设部负责管理,由国家林业局负责日常管理,由国家林业局调查规划设计院负责具体技术内容的解释。在本规范执行过程中,如发现需要修改和补充之处,请将意见和建议寄国家林业局调查规划设计院(地址:北京市东城区和平里东街 18 号,邮政编码:100714),以供今后修订时参考。

本规范主编单位、参编单位、主要起草人和主要审查人:

主 编 单 位:国家林业局调查规划设计院

参 编 单 位:安徽省林业调查规划院

主要起草人:王宏伟　薛秀康　郭祥胜　余新晓　王黎阳

　　　　　　　桑轶群　刘秀峰　赵有贤　李　晖　宗　雪

　　　　　　　黄　翔　盛　俐　李建华　于丽瑶　孔凡利

　　　　　　　王春玲　栾奎志　孙致源　陈丽华　牛健植

　　　　　　　史　村

主要审查人:张　军　王恩苓　何时珍　张志强　谢宝元　崔国发　桑和会　张义军　刘绍娟　李显玉

目 次

Contents

1 总　　则

1.0.1 为规范水土保持林工程设计,保证水土保持林工程建设质量,保障国土生态安全,使水土保持林工程建设在节约资源的前提下最大限度地发挥生态效益,制定本规范。

1.0.2 本规范适用于新造和改造的水土保持林建设工程的设计。

1.0.3 水土保持林工程设计应根据经批准的水土保持林工程建设项目可行性研究报告及批复文件进行设计。

1.0.4 水土保持林工程设计应包括综合调查、总平面图设计、营造林工程设计、森林保护工程设计和配套工程设计等。

1.0.5 水土保持林工程设计应明确建设目的、工程规模、设计原则和标准,设计深度应能控制工程投资,并应满足土地征收、占用,以及编制施工图设计、主要设备定货、招标及施工准备的要求。

1.0.6 水土保持林工程的设计,除应符合本规范外,尚应符合国家现行有关标准的规定。

2 术　语

2.0.1　水土保持林　soil and water conservation forest

以防止与调节地表径流,控制水土流失,保护、改良与合理利用山区、丘陵区水土资源,维护和提高土地生产力,保障水利设施安全,最大限度地发挥水土资源的经济效益和社会效益为经营目的的森林、林木和灌木林。

2.0.2　水土保持林建设　planning and management of soil and water conservation forest

按建设程序与建设标准,对规划用于水土保持林建设的土地和现有水土保持林进行营造、改造、经营和管理的过程。

2.0.3　水土保持林营造　establishment of soil and water conservation forest

借助自然力或人工措施形成水土保持林的过程。主要包括封山(沙)育林、飞播造林和人工造林三种营造方式。

2.0.4　水土保持林改造　silviculture of soil and water conservation forest

为保证水土保持林持续发挥保持水土、改善环境的作用,对水土保持林进行管理、抚育、改造、更新的过程。

2.0.5　植被盖度　vegetation cover

地面上所有植物(含乔木、灌木、草本)冠幅覆盖面积与总面积之比,用百分数表示。

2.0.6　树种混交比　species composition

林地上,某一树种的株数或面积与总株数或总面积之比,用百分数表示。

2.0.7　低效水土保持林　low functioning soil and water

conservation forest

指因受自然或人为因素干扰,林分生长发育不良,保持水土等生态功能低下的水土保持林林分。

3 综 合 调 查

3.1 一 般 规 定

3.1.1 水土保持林工程设计前应进行综合调查,综合调查应包括专业调查、小班区划调查和栽植材料调查等,调查内容应按本规范附录 A 执行。

3.1.2 水土保持林工程设计前应收集当地经济社会发展指标、与工程设计相关的技术经济指标。

3.1.3 水土保持林工程设计前应对工程区内与水土保持林工程营造、经营有关的其他项目进行调查与衔接。

3.2 专 业 调 查

3.2.1 灾害性气象因子调查应包括观察、访问,了解病、虫、鼠、兽、强风、冰雹、霜冻、干旱、雾凇、地质危害等。

3.2.2 社会经济条件调查应包括该地土地利用状况、国民经济发展水平、居民收入来源与消费水平、劳动力数量与劳动成本、交通与通信状况、农业现代化程度、林业机构与科学支撑能力等。

3.2.3 乔灌树种调查应包括乡土树种资源与分布,适生树种、速生树种和长寿树种种类、主要树种的生物学与生态学特性,以及经济利用价值等。

3.2.4 立地类型调查应包括地形、地貌、土壤、植被、林相、林分优势树种与优势树高等因子。立地类型调查应采用路线调查和样地调查相结合的方法。已开展过立地类型调查,编制过立地类型、造林类型、森林经营类型和立地指数表的工程区,应实地调查验证数表的适用性。

3.2.5 路线调查的内容应符合下列规定:

1 路线选择应借助地形图或卫星影像图,按海拔、地形、土壤、母岩、母质、植被、林相等因子划分立地类型,并应按垂直等高线组织、布设调查线路。路线选择应有代表性,应以最短的距离穿越最多的立地类型。

2 外业调查应沿拟定的路线前进,并应随时记载地形的明显变化,同时应在地形、植被明显变化的典型地段设点调查,调查内容应包括土壤调查和植被调查。土壤调查应包括分层记载土层厚度、土壤颜色、质地、结构、紧实度、石砾含量与大小、干湿度、酸碱度、碳酸盐反应、地下水深度、枯枝落叶层,植被调查应包括植被类型、植被总盖度、各层盖度、主要植物种类(建群种、优势种)及其生活型、多度、盖度、高度。

3.2.6 样地调查的内容应符合下列规定:

1 应分立地类型进行调查,每个类型应至少有 3 个样地,样地调查因子可按本规范附录 A 执行;

2 地质、地貌调查应包括母岩类型、特点,以及样地所在的地貌(大、中、小)、部位、坡度、坡向、坡位、坡形、海拔、对坡距、开阔度等;

3 土壤调查剖面宽度应以能正常作业为准,深度应到母质层或地下水,并应分层记载土层厚度、土壤颜色、质地、结构、紧实度、石砾含量与大小、干湿度、新生体、侵入体、潜育程度、根系量、酸碱度、碳酸盐反应、地下水深度、枯枝落叶层、生物活动等情况;

4 植被调查应包括群落层次、结构,植物种类、多度、盖度、高度、物候期、生活力与分布状况,指示植物,群落名称,群落演替规律;

5 林分调查应包括林分起源、树种组成、郁闭度、平均胸径、平均高、林分密度、蓄积量、经营强度、立地指数等。

3.3 小班区划调查

3.3.1 小班区划调查内容应包括土地权属、经营权属、土地类型、森林类别、树种、起源、林龄等。

3.3.2 水土保持林工程在可行性研究阶段已进行经营区划和小班调查时,在工程设计前应抽取部分小班复核其立地质量、经营面积、林地使用权等。水土保持林工程在可行性研究阶段未进行经营区划和小班调查时,应进行小班区划调查,并应建立小班调查卡片。

3.3.3 小班区划宜以明显地形地物界线为界,并应兼顾资源调查和经营管理的需要。下列情况应进行小班区划:

    1 权属不同;

    2 森林类别及林种不同;

    3 生态公益林的事权不同;

    4 林业工程类别不同;

    5 地类不同;

    6 起源不同;

    7 优势树种(组)比例相差两成以上;

    8 Ⅵ龄级以下相差一个龄级,Ⅶ龄级以上相差两个龄级;

    9 乔木林相差一个郁闭度级,灌木林相差一个覆盖度级。

3.4 栽植材料调查

3.4.1 栽植材料调查应包括当地栽植树种的种子与苗木供需现状,现有苗圃、采穗圃、母树林与种子园情况,栽植材料种类与质量,育苗设施与技术措施,了解主要造林树种种苗的标准。

3.4.2 苗圃调查应包括现有苗圃地的权属、位置、立地条件、育苗面积、种子来源与质量、苗木种类与质量、育苗设施与技术措施。调查每亩用种量与产苗量、育苗的各项技术经济指标、技术力量及经验教训、病虫鼠害、自然灾害、交通、经营管理措施、利用前景等情况。调查可用于新建苗圃地的位置、立地条件(土壤、植被、地貌、水源、病虫害等)、面积、权属等情况。

3.4.3 采穗圃调查应包括现有采穗圃的权属、位置、立地条件、面积、树种、年龄、种条规格与产量、种条采集季节、培育技术措施、病虫鼠害、自然灾害、交通、经营管理措施、利用前景等情况。

3.4.4 母树林调查应包括现有母树林的权属、位置、面积、立地条件、树种、林龄、林分密度、林分生长、大小年产种量、病虫鼠害、自然灾害、交通、经营管理措施、利用前景等情况。

3.4.5 种子园调查应包括现有种子园的权属、位置、面积、立地条件、树种、林龄、林分密度、林分生长、大小年产种量、病虫鼠害、自然灾害、交通、经营管理措施、利用前景等情况。

4 总平面图设计

4.1 一般规定

4.1.1 水土保持林工程设计应按工程区边界、造林布局、辅助设施、外部衔接道路和内部交通等编制总平面图设计方案。方案应经实地勘察、论证、比较、优化后形成水土保持林工程总平面图。

4.1.2 水土保持林工程总平面图设计,应在大于或等于 1:10000 比例尺的地形图或卫星影像图上进行。底图要素应包括水土保持林工程区域边界,内部路网,与外部的衔接条件,内部原有的工程设施、居民点等。

4.2 总平面图制图

4.2.1 水土保持林工程总平面图设计应先进行现状图的绘制,并应符合下列规定:

 1 现状图底图要素应包括水土保持林工程区域边界,内部原有的工程设施、居民点、道路、桥梁、明显地物标及其他人工建筑物、内部路网与外部的衔接条件等。

 2 现状图的绘制应以大于或等于 1:10000 比例尺的地形图或卫星影像图为基础,并应在现场进行补测,同时应把发生变化或图上没有的地形地物补测在图上,现场调查图经整理后应形成现状图。

4.2.2 总平面图设计方案的编制应以现状图为基础,并应符合下列规定:

 1 编制总平面图设计方案时,应按各专业的勘察设计要求组织现场勘察。可根据工程规模及难易程度,采用一次外业勘察,并应分阶段设计;也可按各设计阶段的勘察要求分阶段勘察,并应分阶段设计。

2 水土保持林工程总平面图的形成应根据实地勘察,通过方案比较和论证,采用安全、经济、合理的设计方案。

4.2.3 水土保持林工程的交通运输路网、森林防火路网、森林防火隔离带网、森林防火林带网布设,应符合下列规定:

1 总平面图设计方案中连接管护用房、种子园、母树林、苗圃、防火瞭望塔、造林小班,以及其他控制点的交通运输路网、森林防火路网、防火隔离带网、森林防火林带网,应统筹布设,并应相互协调;

2 交通运输路网、森林防火路网、防火隔离带、森林防火林带的设计,应进行图上选线(含比较方案),并应与外部公共交通道路和水系相衔接;

3 水土保持林工程采用分期建设,路网和森林防火系统布设时,应预留与后期工程的协调衔接的条件;

4 工程区域内的管护用房、苗圃、病虫害预测预报站、检疫检验室等工程项目,在可行性研究报告中已经选址时,应按可行性研究报告的布设;未经选址时,应按工程项目的技术要求,在图上选址(含比较方案);

5 道路的路线布设应利用现有道路,不应破坏林木,不宜高填深挖,并应符合路段系统排水的要求;

6 森林防火路网、防火隔离带网、森林防火林带网的密度,应根据工程区的地形、植被、火险等级条件确定;

7 防火隔离带宜利用河流、山脊、道路等布设;

8 总平面图设计应进行多方案比选。

4.2.4 竖向设计应与总平面设计同时进行,并应符合下列规定:

1 应合理利用自然地形,并应减少土石方、建筑物基础、护坡和挡土墙工程量;

2 场地的平整度应有利于排水,并应避免土壤受冲刷,挖填方工程应防止产生滑坡、塌方;

3 应合理确定场地标高,并应与场外已建和规划的道路、排水系统及周围场地的标高协调一致;

4 应满足管线敷设对高程的要求;

5 应有利于建筑布置与空间环境的设计。

4.2.5 水土保持林工程总平面设计图最终形成前,应对总平面图设计方案进行修订、比选和优化。

4.3 图面要求

4.3.1 水土保持林工程总平面设计图应以不同彩色虚线勾绘出水土保持林类型区界,应以不同填充色表示建设类型,小班注记和各类符号应符合现行行业标准《林业地图图式》LY/T 1821 的有关规定。

4.3.2 总平面图设计图应以建设区域为单位分幅,当图幅过大时,可以区划系统的次级单元为单位分幅,比例尺宜为 1:10000。

4.3.3 图名宜在图廓上方,应用宋体或隶书表示;图框内空旷时,也可写在图廓内上方。字体大小宜按图幅确定。

4.3.4 图框内右下方应标注图例、比例尺。

4.3.5 图框外右下方应注明设计单位、制图人、制图日期等。

5 营造林工程设计

5.1 一般规定

5.1.1 营造林工程设计应包括新造水土保持林工程设计和低效水土保持林改造工程设计。新造水土保持林工程设计应包括造林准备、造林、未成林抚育等;水土保持林改造工程设计应包括抚育经营、低效林改造、采伐更新等。

5.1.2 营造林工程设计应符合下列规定:

1 营造林工程建设应符合国家有关生态公益林建设的要求,不得改变为其他用途。

2 项目涉及区域应包括河流、水库周边的林地(包括乔木林地、灌木林地、疏林地、采伐迹地、火烧迹地、未成林造林地、苗圃地)或规划用于建设水土保持林的宜林地(包括宜林荒山、荒地、荒滩、沙荒地等)。

3 不得毁林造林和破坏天然林。对遭受强烈自然灾害难以恢复生长的林分,或树种与立地不匹配、影响水土保持效益发挥的低效水土保持林,应经林业主管部门批准后再列为改造对象。

4 营造水土保持林宜采用封山育林、人工造林、飞播造林相结合,乔木、灌木、草本相结合的方式。

5 水土保持林混交比例应大于30%。主要树种配置应按本规范附录B的规定执行。

6 营造林工程建设应结合生物多样性保护、水土保持、景观与游憩需求等因素,对原有的古树名木、珍稀野生动植物、特殊景观森林等采取保护措施。

5.2 新建水土保持林工程设计

Ⅰ 造 林 准 备

5.2.1 造林准备应适地适树,并符合下列规定:

1 水土保持林造林树种及其比例的选择应依据树种特性、立地类型、效益发挥等因素综合确定,应选择水土保持功能好的造林树种,并应重视乡土树种的选优和开发;

2 不同区域营造水土保持林依地适树应按本规范附录 C执行。

5.2.2 营造水土保持林应选用优良种源、良种基地培育的种子或苗木,并应符合下列规定:

1 飞机播种造林、人工直播造林使用的种子,应符合现行国家标准《林木种子质量分级》GB 7908 有关Ⅱ级以上种子质量标准的规定;

2 容器苗应符合现行行业标准《容器育苗技术》LY/T 10000有关合格苗木标准的规定;

3 露地培育的裸根苗木应符合现行国家标准《主要造林树种苗木质量分级》GB 6000 有关Ⅰ、Ⅱ级苗木标准的规定;

4 主要造林树种种子、苗木质量分级应分别按现行国家标准《林木种子质量分级》GB 7908 和《主要造林树种苗木质量分级》GB 6000 的有关规定执行。

5.2.3 水土保持林造林树种应选择抗逆性强、低耗水、保水保土能力好、低污染和具有一定景观价值的乔木、灌木。

5.2.4 新建水土保持林工程设计应根据造林面积测算需苗量。

5.2.5 新建水土保持林工程设计应符合现行国家标准《生态公益林建设 技术规程》GB/T 18337.3 的有关规定,应根据立地类型、造林树种的生物学特性、植被现状及土壤侵蚀的风险程度确定造林地整理的方式、规格和时间,并应符合下列规定:

1 除河滩等平缓地外,凡 5°以上坡度的造林地不应采取全面整地,应减少对原有植被的破坏。

2 整地方式应采用穴状整地、鱼鳞坑整地、水平阶整地、水平沟整地等。水土保持林整地规格及应用条件应按本规范附录 D 执行。

3 应提前整地,春季造林,应提前到前一年雨季,并不应晚于前一年秋季;雨季造林,应提前到当年春季或不提前;秋季造林,应提前到当年雨季或雨季前。南方雨量充沛地区,应在造林的前一个月整地。

4 栽植配置应采用正方形或三角形配置,宜采用三角形或"品"字形排列。

Ⅱ 水土保持林营造

5.2.6 造林密度根据立地条件、树种生物学特性及营林水平确定,可密植。乔木新造林密度应为 1665 株/hm²～5000 株/hm²,灌木新造林密度应为 2500 株/hm²～5000 株/hm²,主要造林树种的适宜造林密度宜符合本规范附录 E 的规定。

5.2.7 造林方式宜采用植苗造林和播种造林,并应符合下列规定。

1 植苗造林宜以容器苗为主,并宜以裸根苗、带有土坨的移植苗为辅,应符合现行国家标准《造林技术规程》GB/T 15776 的有关规定;

2 人工播种造林应符合现行国家标准《造林技术规程》GB/T 15776 的规定,飞机播种造林应符合现行国家标准《飞播造林技术规程》GB/T 15162 的规定,主要造林树种播种量宜符合本规范附录 F 的规定。

5.2.8 新建水土保持林工程设计应根据立地条件、气候条件、树种特性、造林方式和经营要求等因素综合确定造林季节和时间,应以春季造林为主,雨季、秋季造林为辅。春季造林宜在 2月～5月,雨季造林宜在 7月～8月,秋季造林宜在土壤上冻前完成。

5.2.9　抚育措施应包括松土除草、灌溉、施肥等,抚育宜连续 3 年～5 年,每年宜为 1 次～3 次。遇干旱年份应增加灌溉 1 次～2 次。有冻拔危害的地区,第一年宜以除草为主,并宜减少松土次数。

5.2.10　除草方式应以穴状除草为主,深度应为 5cm～10cm,水分条件差的地区应适当加深,丘陵山地可结合抚育进行扩穴、培兜。

5.2.11　水土保持林抚育过程中不宜使用化肥和化学除草剂,确实需要使用时,应根据树种的生物学特性确定配比,并应按使用要求使用,同时应符合环境保护的有关规定。

5.2.12　对造林成活率不合格的造林地应及时进行补植或重新造林,植苗造林地的补植宜选用同龄苗木。需要补植的成活率应为 41%～84%,成活率在 41% 以下时,应重新造林。

5.3　水土保持林改造工程设计

5.3.1　水土保持林抚育应以不破坏原生植物群落结构为前提。

5.3.2　符合下列情况之一的水土保持林应进行抚育:

　　1　天然次生林中幼龄林郁闭度 0.8 以上,人工幼林郁闭度 0.9 以上,中龄林郁闭度 0.8 以上;

　　2　林分过分稠密,自然分化严重;

　　3　遭受病虫害、火灾等严重自然灾害,病腐木已达 10% 的林分;

　　4　林木生长发育已不符合水土保持功能的林分。

5.3.3　郁闭后的经营管理应符合下列规定:

　　1　应根据林分发育、自然稀疏规律及功能发挥,对郁闭后的水土保持林采取间伐、修枝和卫生伐等抚育措施;

　　2　按水土保持林的生长发育顺序和培育目标,可依次对其进行透光伐、疏伐、生长伐,特殊情况下可进行卫生伐,并应按现行国家标准《森林抚育规程》GB/T 15781 的有关规定执行；

    3 水土保持林林冠郁闭后，树冠下部开始出现枯枝时，应进行修枝，针叶林在前一次修枝后出现两轮死枝时，应再次修枝，阔叶林的修枝间隔期宜为 2 年~3 年；

    4 修枝宜在早春或晚秋进行，萌芽力强或有伤流现象的树种应在生长季进行修枝。

5.3.4 水土保持林管护应以封山护林为主，进行综合性经营管理。

5.3.5 低效水土保持林改造应因林因地而宜、适地适树。工程设计时应按现行行业标准《低效林改造技术规程》LY/T 1690 的有关规定执行。

5.3.6 符合下列条件之一的水土保持林应进行改造：

    1 林木分布不均，林隙多，郁闭度小于 0.3 的中龄以上的林分；

    2 近中龄林且仍未郁闭，林下植被覆盖度小于 0.4 的林分，降水量低于 400mm 以下的区域，植被覆盖度小于 0.3 的林分；

    3 单层纯林尤其是单一针叶树种的纯林，林下植被覆盖度小于 0.2 的林分；

    4 病虫害或其他自然灾害严重，病腐木超过 20% 的林分；

    5 现行行业标准《低效林改造技术规程》LY/T 1690 规定的其他条件。

5.3.7 改造方式应分为补植改造、综合改造，并应符合下列规定：

    1 补植改造可用于稀疏、残破林，应根据林分内林隙的大小与分布，采用均匀补植和局部补植的方式。初植密度应按本规范附录 E 执行。

    2 综合改造可用于林相老化型和自然灾害型的低效林和由多个树种组成的、疏密不均的异龄复层林。一次改造强度宜控制在蓄积的 20% 以内，宜采用块状或带状伐除受害木。对栽植的目的树种，成活后应进行林木抚育。

5.3.8 改造方式、方法应根据对象和现行行业标准《低效林改造技术规程》LY/T 1690 的有关规定确定。

5.3.9 水土保持林主要树种平均年龄达到防护成熟龄（同龄林）或大径级立木蓄积比达到 70％～80％（异龄林），濒死木超过 30％，且病虫危害严重的林分，应进行更新。在采伐前或采伐后的当年与次年，应及时进行更新。更新采伐控制指标应按本规范附录 G 执行。

5.3.10 水土保持林更新应以天然更新和人工促进天然更新为主，人工更新为辅。

5.3.11 同龄林采伐更新应采用渐伐和择伐方式，对需要更新的异龄林，特别是天然次生林采取径级作业法，应按立木径级大小进行采伐更新，采伐木的选择应分地区与优势树种确定，并应满足大径木蓄积比和最小采伐胸径指标，一次采伐强度不得大于蓄积量的 15％，间隔期应大于 10 年。

6 森林保护工程设计

6.1 一般规定

6.1.1 水土保持林工程应进行森林保护工程设计,森林保护工程设计应包括森林防火工程、林业有害生物防治工程及其他灾害防治工程设计等。

6.1.2 森林保护工程应结合项目区地形、地质、气象等自然条件,并经技术经济比较后设计,不得破坏生态环境和自然景观,并应符合安全、卫生、节约的要求。

6.2 森林防火

6.2.1 森林防火工程设计应包括森林火险预测预报工程设计、火情瞭望监测工程设计、森林防火阻隔工程设计、林火信息和指挥工程设计等。

6.2.2 水土保持林面积较大的地区,应组建森林火险预测预报站。森林火险预测预报站的控制半径宜为 15km～30km。地形起伏变化较大和条件较复杂的山区宜提高站点密度。

6.2.3 水土保持林连接成片、面积在 5000hm² 及以上时,应建火情瞭望监测点。

6.2.4 水土保持林森林防火阻隔网设置密度应根据自然条件、火险等级、经营强度和森林防火的要求确定,其阻隔网格控制面积应为 50hm²～200hm²。

6.2.5 水土保持林的防火隔离带应根据自然条件、火险等级等因素确定。对有特殊要求和不适于设防火隔离带的地段,应选用其他设施。

6.2.6 拟建设的水土保持林工程,应设计森林防火道路。森林防火道路应由现有道路、设计拟建道路和巡护步道等组成。

6.2.7 水土保持林工程林火信息、指挥工程设计的参数和其他技术要求，应按现行行业标准《森林防火工程技术标准》LYJ 127 的有关规定执行。

6.2.8 水土保持林工程森林防火工程设计的其他技术要求，应按现行行业标准《森林防火工程技术标准》LYJ 127 的有关规定执行。

6.3 林业有害生物防治

6.3.1 林业有害生物防治工程建设应贯彻"预防为主、科学防控、依法治理、促进健康"的原则。应做好林业有害生物预测预报工作，并应采取生物、物理和化学等防治措施。

6.3.2 林业有害生物防治应采用生物防治方法，并应保护和利用害虫天敌，同时应改善害虫天敌的生存和繁衍环境。

6.3.3 林业有害生物防治宜采用人工或光、电、热等物理方法选择诱捕、诱杀。

6.3.4 在关系到食品安全的经济树木有害生物防治及大规模施药的食叶害虫的防治中，应采用生物、仿生和植物药剂，并应普及推广性激素、灯光诱杀等生物、物理防治技术。

6.3.5 在病虫害暴发流行、危害严重的情况下宜采用化学防治。化学防治应选择高效、低残留的化学药剂，不应使用高残留和广谱杀虫剂，并应使用合理的剂量和正确的施药方法，农药残留不得超过国家规定的标准。

6.3.6 对水土保持林内危害严重的植株，应及时伐除，并应采取除害措施，同时应严格控制林业有害生物蔓延。

6.4 其他灾害防治

6.4.1 播种育苗、直播造林时，在幼苗出土时应采取巡护或采取防鸟害、畜害和兽害的伪装等保护措施。

6.4.2 新造林地、未成林造林地应设置防止鼠、兔等啮齿类野生动物及家畜、家禽危害苗木的围栏、防护罩或其他保护设施。

6.4.3 易受霜冻危害地区,可采取在霜冻来临前或封冻前浇水、熏烟、埋土、盖草、覆膜或建风障等防寒防冻措施。

6.4.4 易发生生理干旱的树种,在防寒结束后,应立即灌一次透水。

6.4.5 易受风沙危害的未成林地应设置风障。

7 配套工程设计

7.1 一 般 规 定

7.1.1 水土保持林工程中的管护用房、种子园、母树林、苗圃和其他站点涉及的建筑工程,应根据其使用功能的技术要求和交通、消防、环保、安全、绿化等要求,并结合地形、地质、气象等自然条件,经技术经济比较后布置。

7.1.2 水土保持林工程的道路、给排水、供电、供热、通信、有线广播电视等线路布置,不得破坏生态环境和自然景观,并应符合安全、卫生、节约、环保和便于维修的要求。供电、给排水工程配套设施应设置在隐蔽地带。

7.1.3 水土保持林工程的辅助生产设施工程,宜与附近城镇联网,当经论证确有困难时,可部分联网或自成体系,并应为今后联网创造条件。

7.1.4 山区和丘陵地区,主要建筑物应布置在地形和地质条件较好的地段。沿山坡布置的建筑物,除应符合采光、通风、施工等要求外,尚应采取防止坍塌、泥石流等地质灾害的措施。

7.1.5 分期建设的配套工程应按功能统筹布置,并应确定配套工程的预留续建用地位置。

7.1.6 水土保持林工程的各类建筑工程设计,除应满足使用功能要求外,其高度、体量、空间组合、造型、材料、色彩等的建筑设计,应与周围环境相协调。

7.1.7 位于城镇的水土保持林工程的配套设施工程设计,应符合当地城镇总体规划的要求。

7.2 管 护 用 房

7.2.1 水土保持林工程中管护用房应包括主体建筑工程和辅助

建筑工程,主体建筑工程应包括办公室、宿舍等,辅助建筑工程应包括食堂、车库、仓库、锅炉房和配电室等。辅助建筑工程量不应超过主体建筑工程量的 20%。

7.2.2 水土保持林工程中的管护用房应选用节能环保建筑材料,宜就地取材。

7.2.3 水土保持林工程中管护用房的建设,应符合下列规定:

   1 应有利生产,并应便于经营管理,同时应方便职工生活;

   2 应地形平坦开阔,地势较高,地质结构应稳固,并应有 $100m^2 \sim 200m^2$ 的建设用地;

   3 应具备符合饮用水标准的水源。

7.3 道 路 工 程

7.3.1 水土保持林工程道路工程应由运输道路、防火道路、巡护道路(包括摩托车道和巡护步道)等组成,并应满足交通运输、生产经营、森林保护和日常管理的需要。

7.3.2 水土保持林工程的道路工程应在总平面设计中统筹布设,设计生产性道路的同时,应同步设计森林保护道路。

7.3.3 水土保持林工程区与外部交通衔接的路段,可按林区公路林Ⅰ级或林Ⅱ级的标准执行。

7.3.4 水土保持林内用于集材生产和森林保护的道路建设,可按林Ⅲ级或林Ⅳ级标准执行。其他衔接道路可按林Ⅳ级标准执行。

7.3.5 水土保持林内摩托车道的路基宽应为 1.5m~2.0m,可不设路面,必要时可设低级路面。最大纵坡不宜大于 12%,平曲线半径不宜小于 7.0m。

7.3.6 水土保持林内巡护步道路宽应为 0.5m~1.5m。纵坡大于 18%的陡坡处可设台阶,台阶踏步宽应为 30cm~40cm,高度应为 12cm~18cm。

7.3.7 其他未提及道路可按有关林区道路的规定执行。

7.4 其他工程

7.4.1 水土保持林工程的给水工程应包括生活用水、生产用水和消防用水的供给。

7.4.2 水土保持林工程中的管护用房、种子园、母树林、苗圃和各种站点,应利用当地已有的给水管网,周边无可利用的给水管网时,可采用其他给水方式。

7.4.3 水土保持林工程的排水工程,应符合生活污水、生产污水以及雨水排放的有关规定。

7.4.4 水土保持林工程的供电工程,应采用国家或地方现有电网,当无电网可利用或利用现有电网不经济时,可自备电源。

7.4.5 水土保持林工程的供热工程,应利用周边的供热系统。自行供热时,在电力或燃油(气)供应充足的前提下,应采用电力或燃油(气)供热。

7.4.6 水土保持林工程的通信工程应根据当地的通信条件和对内、外部通信的传输要求进行设计,并应符合技术先进、经济合理、安全适用、维护管理方便的原则。

7.4.7 采用无线通信方式时,所选用的通信设备应符合现行行业标准《无线通信设备电磁照射符合性要求(频率范围 30MHz～6GHz) 第 1 部分:靠近耳边使用的无线通信设备》YD/T 2194.1 的有关规定,在频段选择和发射功率上不应对外围地区形成电磁波干扰。

7.4.8 水土保持林工程的有线广播、电视工程,应纳入地方有线广播、电视网。当无广播、电视网时,应根据生产生活需要建立卫星地面接收站或配备小型地面卫星接收装置。

附录 A 水土保持林工程综合调查因子表

表 A 水土保持林工程综合调查因子表

位置	省(自治区)		县(市、区)		乡(林场)		村(林班)	
	小地名				北纬		东经	
气候条件	年均温	℃	1月均温	℃	7月均温	℃	年无霜期	天
	年降雨量	mm			年蒸发量	mm		
地形地貌	地貌类型		海拔	m	坡向		坡度	度
			坡位					
土壤	母岩		土类		土壤名称		土层厚度	cm
	腐殖质层厚度	mm	pH值		石砾含量	%	分布情况	
植被情况	主要乔木树种		郁闭度					
	主要灌木树种		灌木层盖度	%	灌木层高度	m		
	主要地被植物		草本层盖度	%	草本层高度	m		

类别							
林分状况	林分起源	平均胸径 cm	树种组成	平均树高 m	郁闭度	林分密度 株/hm²	蓄积量 m³
灾害调查	病害种类 危害程度	鼠害 兽害	风害	虫害种类 危害程度	低温 冰雹	其他灾害	
小班情况	面积 hm²	林地使用权	林地质量 立地质量				
苗圃地调查	面积 hm²	位置	权属	苗木产量 万株	育苗树种		
母树林调查	面积 hm²	位置	权属	种子产量 kg	病虫鼠害	树种 年龄	
种子园调查	面积 hm²	位置	权属	种子产量 kg	病虫鼠害	树种 年龄	

附录 B 水土保持林工程造林树种配置表

表 B 水土保持林工程造林树种配置表

主要树种	搭配树种
马尾松	麻栎、栓皮栎、枫香、槭树、桉树(巨桉)、木荷、化香、白栎、山槐等
柏木	栲木、女贞、栓皮栎、麻栎、马桑等
油松	栓皮栎、槲树、辽东栎、侧柏、落叶松、元宝枫、白蜡、椴树、桦树、色木、刺槐、山杏、紫穗槐、黄栌、胡枝子、沙棘等
侧柏	栓皮栎、辽东栎、白皮松、油松、刺槐、元宝枫、黄连木、山皂角、紫穗槐、火炬树等
落叶松	白杆、油松、樟子松、辽东栎、桦树、山杨、水曲柳、椴树、春榆、白蜡等
栓皮栎	马尾松、柏木、油松、侧柏、元宝枫、刺槐、紫穗槐、黄栌等
刺槐	侧柏、油松、杨树、栓皮栎、白榆、臭椿、紫穗槐、黄栌等
杨树	刺槐、侧柏、沙棘、紫穗槐等

附录 C 水土保持林工程主要树种选择表

表 C 水土保持林工程主要树种选择表

区域	涉及省区范围	主要适宜树种
东北地区	黑龙江、吉林、辽宁和内蒙古东部地区	兴安落叶松、长白落叶松、日本落叶松、樟子松、油松、黑松、红皮云杉、鱼鳞云杉、冷杉、中东杨、群众杨、健杨、小黑杨、银中杨、甜杨、旱柳、白桦、黑桦、枫桦、蒙古栎、辽东栎、槲栎、紫椴、水曲柳、黄菠萝、胡桃楸、色木、刺槐、白榆、火炬树、山杏、暴马丁香等
西北地区	陕西、山西、宁夏、甘肃、青海、新疆、内蒙古中西部	油松、落叶松、樟子松、白桦、山杨、槭、左旋柳、白榆、刺槐、槐、臭椿、青杨、新疆杨、银白杨、胡杨、沙兰杨、旱柳、漆树、山杏、沙棘、柠条、荆条、酸枣、四翅滨藜等
黄河中下游地区	河北、山东、河南、北京、天津	油松、侧柏、旱柳、河北杨、健杨、白榆、大果榆、杜梨、山杏、刺槐、臭椿、槭树、白桦、红桦、山杨、青杨、麻栎、栓皮栎、苦楝、毛白杨、黄连木、山茱萸、莘萸、板栗、核桃、油桐、漆树、香椿、四翅滨藜、桧柏、紫穗槐等
长江流域地区	四川、云南、贵州、重庆、湖南、湖北、陕西（秦岭以南）、江西、安徽、江苏、浙江、上海	马尾松、云南松、华山松、思茅松、高山松、落叶松、杉木、云杉、冷杉、柳杉、秃杉、黄杉、滇油杉、墨西哥杉、柏木、藏柏、滇柏、川柏、冲天柏、麻栎、栓皮栎、青冈栎、滇青冈、高山栎、高山栲、元江栲、樟树、桢楠、檫木、光皮桦、白桦、红桦、西南桦、枫杨、响叶杨、滇杨、意大利杨、红椿、臭椿、苦楝、旱冬瓜、桤木、榆树、朴树、旱莲、木荷、黄连木、珙桐、山毛榉、鹅掌楸、川楝、楸树、滇楸、梓木、刺槐、合欢、新银合欢、相思类、白杆、青杆、杜松、麻疯树、楠竹、慈竹、其他乡土常绿阔叶树种等

区域	涉及省区范围	主要适宜树种
东南沿海地区	广东、广西、海南、福建	马尾松、湿地松、南亚松、黑松、木荷、红荷、枫香、藜蒴栲、椎、榕属、台湾相思、大叶相思、马占相思、绢毛相思、窿缘桉、赤桉、尾叶桉、巨尾桉、刚果桉、黑荆、新银合欢、千斤拨、青皮竹、勒竹、刺竹、其他乡土常绿阔叶树种等

附录 D 水土保持林工程造林整地规格及应用条件表

表 D 水土保持林工程造林整地规格及应用条件表

整地类型		整地规格	整地要求	应用条件
穴状整地	小穴	直径 0.3m ～ 0.4m，松土深度 0.3m	原土留于坑内，外沿踏实不作埂	适用于地面坡度小于5°的平缓造林地小苗造林
	大穴	干果类果树直径 1.0m，松土深度 0.8m；鲜果类果树直径 1.5m，松土深度 1.0m	挖出心土做宽 0.2m、高 0.1m 的埝，表土回填	适用于坡度小于5°地段栽植各种干鲜果树和大苗造林
鱼鳞坑整地	大鱼鳞坑	长径 1.0m ～ 1.5m，短径 0.6m～ 0.8m，埝高 0.3m～ 0.4m	坑内取土在下沿做成弧状土埝，高 0.2m～0.3m（中间较高，两端较低）。各坑在坡面上沿等高线布置，上下两行呈"品"字形相错排列。坑两端开挖各约 0.2m～0.3m 的倒"八"字形截水沟	适用于土厚、植被茂密的中缓坡营造水土保持林
	小鱼鳞坑	长径 0.6m ～ 0.8m，短径 0.4m～ 0.5m，埝高 0.2m～ 0.3m	坑内取土在下沿做成弧状土埝，高 0.2m～0.3m（中间较高，两端较低）。各坑在坡面上沿等高线布置，上下两行呈"品"字形相错排列。坑两端开挖各约 0.2m～0.3m 的倒"八"字形截水沟	适用于坡面破碎、土层较薄的造林地营造水土保持林

整地类型	整地规格	整地要求	应用条件
水平阶整地	阶宽 0.7m～1.5m,具有 3°～5° 的反坡	上下两阶的水平距离以设计造林行距为准。要求在暴雨中各台阶间的斜坡径流在阶面上能全部或大部容纳入渗,以此确定阶面宽度和反坡坡度,或调整阶间距离	适用于山地坡面完整、坡度在 15°～25° 的坡面营造水土保持林
水平沟整地	沟口上宽 0.5m～0.8m,沟底宽 0.3m～0.5m,沟深 0.3m～0.5m,长 4m～6m。沟由半挖半填做成,内侧挖出的生土用在外侧做埂	水平沟沿等高线布设,沟内每隔 5m～10m 设一横档,高 0.2m,以防沟内径流纵向流动。根据设计的造林行距和坡面暴雨径流量确定上下两沟的行距和沟的具体尺寸	适用于山地坡面完整、坡度在 15°～25° 的坡面营造水土保持林

附录 E 水土保持林工程主要树种适宜密度表

表 E 水土保持林工程主要树种适宜密度表（株/hm²）

树 种	东北地区	西北地区	黄河中下游地区	长江中下游地区	长江中上游地区	东南沿海地区
落叶松	2400～5000	—	2400～5000	—	—	—
樟子松	1650～3300	—	—	—	—	—
云杉	3333～5000	—	—	—	3333～5000	—
侧柏、桧柏	—	2000～4000	2500～5000	—	—	—
柏木	—	—	—	—	3333～5000	—
油松、白皮松	—	—	3000～5000	2000～2500	1050～1350	—
白桦、毛白杨	—	1600～2000	1600～2000	—	—	—
胡桃楸、水曲柳、黄波萝	4400～5000	—	—	—	—	—
蒙古栎、辽东栎	3000～5000	—	—	—	—	—
椴树	1667～3000	—	—	—	—	—
暴马丁香、色木	2500～4000	—	—	—	—	—

续表 E

树　种	东北地区	西北地区	黄河中下游地区	长江中下游地区	长江中上游地区	东南沿海地区
苦楝、川楝、印楝、香椿、臭椿、喜树、枫杨、白榆	—	—	1100~2500	1100~3000	—	—
榆树、柳树	1350~3300	1000~2500	1000~3000	800~2000	800~2000	800~2000
刺槐、紫穗槐、合欢类	—	1200~3000	1650~5000	—	2000~3600	—
白杆、青杆、杜松	—	—	—	1100~2000	1100~2000	—
栓皮栎、麻栎、槲栎、鹅耳枥	—	—	1500~2000	1500~2500	1100~2000	—
马尾松、湿地松	—	—	—	3000~5000	—	1667~3300
木荷、楠木	—	—	—	—	1050~1800	1000~2500
相思树类、桉树	—	—	—	—	1667~3000	1200~2000
高山松、华山松、云南松、思茅松	—	—	—	—	1200~3000	—
美洲黑杨、意大利杨、欧美杨、加杨、沙兰杨、河北杨、群众杨、青杨、山杨、旱柳	—	1600~2000	833~2000	1600~2500	833~2500	—
沙棘、荆条、酸枣	—	3000~4000	—	—	—	—
桑树、麻疯树	—	3334~5000	—	3000~5000	2000~3600	—
竹、慈竹、青皮竹、勒竹、刺竹等	—	—	—	400~900	400~900	400~900

附录 F 水土保持林工程主要树种播种量表

表 F 水土保持林工程主要树种播种量表

播种方式	树　　种	播种量(粒/穴)	播种量(kg/hm²)
人工穴播	胡桃楸	2～3	—
	椴树	10～15	—
	臭椿	30～40	—
	漆树	3～4	—
	油松、侧柏	25～30	—
	紫穗槐、荆条、柠条	30	—
	白皮松、华山松	4～6	—
	栓皮栎、槲栎、槲树	4～5	—
飞机播种	臭椿	—	3～4.5
	油松	—	3.5～7.5
	侧柏	—	4.5～6
	华山松	—	1.25～1.5
	云南松	—	0.20～0.25

附录 G 水土保持林工程更新采伐控制指标表

表 G 水土保持林工程更新采伐控制指标表

树 种	起源	同龄林	异龄林	
		防护成熟龄 (年)	大径木蓄积比 (%)	采伐胸径 (cm)
侧柏、柏木	天然	>120	>81	>49
	人工	>100		
落叶松、云杉、冷杉、樟子松	天然	>120	>76	>39
	人工	>60		
油松	天然	>80	>76	>39
	人工	>60		
云南松、华山松、马尾松	天然	>60	>76	>49
	人工	>50		
杨树、桉、楝、木麻黄、枫杨	人工	>26	>71	>37
刺槐	人工/天然	>26	>71	>25
桦、榆、木荷、枫香	天然	>70	>71	>47
	人工	>50		
栎(柞)、栲、椴、胡桃楸、 水曲柳、黄菠萝	天然	>120	>81	>47
	人工	>70		

注:大径木指胸径大于25cm的林木。

本规范用词说明

1　为便于在执行本规范条文时区别对待,对要求严格程度不同的用词说明如下:

　1)表示很严格,非这样做不可的:

　　正面词采用"必须",反面词采用"严禁";

　2)表示严格,在正常情况下均应这样做的:

　　正面词采用"应",反面词采用"不应"或"不得";

　3)表示允许稍有选择,在条件许可时首先应这样做的:

　　正面词采用"宜",反面词采用"不宜";

　4)表示有选择,在一定条件下可以这样做的,采用"可"。

2　条文中指明应按其他有关标准执行的写法为:"应符合……的规定"或"应按……执行"。

引用标准名录

《林木种子质量分级》GB 7908

《主要造林树种苗木质量分级》GB 6000

《造林技术规程》GB/T 15776

《飞播造林技术规程》GB/T 15162

《森林抚育规程》GB/T 15781

《生态公益林建设 技术规程》GB/T 18337.3

《森林防火工程技术标准》LYJ 127

《低效林改造技术规程》LY/T 1690

《林业地图图式》LY/T 1821

《容器育苗技术》LY/T 10000

《无线通信设备电磁照射符合性要求（频率范围 30MHz～6GHz） 第 1 部分：靠近耳边使用的无线通信设备》YD/T 2194.1

中华人民共和国国家标准

水土保持林工程设计规范

GB/T 51097 - 2015

条 文 说 明

制 订 说 明

　　《水土保持林工程设计规范》GB/T 51097—2015 经住房城乡建设部 2015 年 3 月 8 日以第 784 号公告发布。

　　本规范在编制过程中,编制组进行了广泛深入的调查研究,认真总结了水土保持林工程设计及多年来水土保持林建设实践经验,参考了国外相关标准和先进经验。

　　为便于广大设计人员在使用本规范时能正确理解和执行条文规定,《水土保持林工程设计规范》编制组按章、节、条顺序编制了本规范的条文说明,对条文规定的目的、依据以及执行中需要注意的有关事项进行了说明。但是,本条文说明不具备与规范正文同等的法律效力,仅供使用者作为理解和把握规范规定的参考。

目　次

1 总　　则

1.0.1　随着人类生产力水平的提高及科学技术的不断发展,自然资源、生态环境、经济发展之间的矛盾也日益突出。为解决这些突出矛盾,党中央、国务院决定继续加大生态环境建设力度,其措施之一就是大力营造水土保持林。水土保持林是以保土、保肥、控制土壤侵蚀、防止山体滑坡和泥石流等灾害发生为目标的综合防护林体系。营造高质量的水土保持林,应适地适树、统筹规划、科学设计。本条规定了制定本规范的目的、意义。制定水土保持林工程设计规范的目的就是为了保证水土保持林工程建设质量,全面落实科学发展观,走可持续发展道路,保障国土生态安全,使水土保持林工程建设在节约资源的前提下最大限度地发挥生态效益。

1.0.2　本规范适用于全国范围内水土保持林新造和水土保持林改造工程建设。水土保持林改造工程建设包括抚育经营、低效林改造、采伐更新等内容。本规范所指的水土保持林属于防护林的二级林种。

1.0.3　本条为规范编制的主要依据。

1.0.4　本条为水土保持林工程设计应包括的主要设计内容。

1.0.5　本条对水土保持林工程设计深度提出了明确要求。

1.0.6　水土保持林工程涉及专业比较多,相关专业的强制性标准均须执行。

3 综合调查

3.1 一般规定

3.1.1~3.1.3 本节规定了水土保持林工程综合调查的内容。水土保持林工程设计的先决条件是调查了解工程区各种自然和社会条件,认清各种不利因素的运动规律,通过综合调查水土保持林工程建设区范围的地形地貌、地质构造、土壤、植被、气候、水文等自然条件,居民点、交通等社会经济条件,以及工程区其他在建和已建工程、小班区划、栽植材料、配套工程等情况,搜集工程区主要技术经济指标,为水土保持林工程设计提供基础材料。

3.2 专业调查

3.2.3 树种的生物学与生态学特性包括高生长规律、径生长规律、根系分布特征、成林高度、冠形、冠幅、分枝特性、种间竞争规律、抗病虫害能力、抗侵蚀能力、抗大气污染能力等。

3.2.4 立地类型表、造林类型表、森林经营类型表和立地指数表等森林经营数表是科学研究和生产实践经验的全面总结,具有标准的内涵,对于指导一个地区的林业生产与林业生态建设具有相当重要的意义。本条规定的出发点是通过调查、收集、验证、补充这些经营数表,力求工程设计科学、客观并达到深度要求。重新编制经营指数表应该量力而行。

地形、地貌因子包括地貌类型、海拔高度、坡形、坡向、坡位、坡度等。土壤因子包括母岩、母质、土壤类型、土层厚度、腐殖质层厚度等。植被因子包括优势种类、盖度、高度、多度等。林相因子包括林分结构、健康状况、发育状况、均匀度等。

3.2.5、3.2.6 线路调查、样地调查,实地了解工程区地质,地貌,土壤,植被,林分特征,生态环境状况,现有基础设施种类、数量、分布等方面的情况,对于工程设计是必不可少的一步。条文规定的核心是调查应尽可能以最短的距离穿越最多的立地类型,了解工程区全貌,样地布设应具有广泛代表性,应体现地域特点,一般森林资源、生态、地质等野外调查中涉及的因子都可供参考,并尽可能与其接轨。

3.3 小班区划调查

3.3.1～3.3.3 小班是开展各项森林经营活动的一个最基本单位。小班区划调查是掌握水土保持林工程区小班立地质量、经营面积、林地使用权等林地现状的必要手段,是水土保持林工程设计综合调查内容的重要组成部分。工程区没有进行小班区划调查的,设计阶段应进行;已进行了经营区划和小班调查的,在工程设计阶段可根据小班登记表抽取部分小班进行现场复核。

3.4 栽植材料调查

3.4.1 栽植材料准备是工程建设的重要物质基础,事关工程建设的进度与成败。不同于农作物,树木由于生长周期长,其种苗优劣对工程建设及效益发挥的影响少则十年,多则几十年,甚至上百年。栽植材料调查的主要任务是了解工程区造林树种的种子与苗木市场供需现状、数量及质量,尤其是质量,包括遗传性状。

3.4.2～3.4.5 这几条规定了苗圃地、采穗圃、母树林和种子园的调查方法和调查内容。

调查方法包括统计资料调查和实地调查(踏查)。现有苗圃地、母树林和种子园生产现状调查采用统计资料调查法,新建苗圃地和可利用母树林、种子园的调查采用实地调查法。

4 总平面图设计

4.1 一般规定

4.1.1 总平面设计不仅要在设计内容上涵盖全面,不能漏项,还需要按照一定的程序进行。

4.1.2 绘制水土保持林工程总平面布置图底图的比例要求大于或等于 1∶10000,根据项目的设计情况尽量选择大比例尺的底图,以便反映更多的要素。

4.2 总平面图制图

4.2.1 现状图的绘制,除了对比例尺有所要求外,为了反映更多的图面要素,反映当今社会经济高速发展带来的变化,还应该选用最新版本的底图。

4.2.3 水源涵养林工程的交通运输路网、森林防火路网、森林防火隔离带网、森林防火林带网设计应统筹布设、相互协调,要考虑方案比选、分期建设衔接、内外部路网衔接等。现场实地勘察是保证工程设计质量和方案比选的重要环节,应重视外业勘察工作。

4.2.4 水源涵养林工程竖向设计应与总平面设计同时进行,竖向设计应考虑经济适用、利于排水、建筑布置空间环境设计等方面的要求。

4.2.5 总平面设计方案首先应组织现场勘察工作,并按各专业的勘察设计要求进行设计,在征求当地群众意见的基础上,综合考虑水文、地质、道路、水电、树种适应性等因素,对各个总平面图设计方案进行修订,对修订后的各个总平面图设计方案进行论证和比较,采用安全、经济、合理的设计方案,最终形成水源涵养林工程总平面设计图。

4.3 图面要求

本节规范了水土保持林工程总平面设计图的比例尺、注记、色标等内容。

5 营造林工程设计

5.1 一般规定

5.1.1 本条明确了新造或改造水源涵养林工程设计应包括的主要内容。

5.1.2 本条规定了营造林工程设计应遵循的原则,包括土地、环保、节能、节水、原生植被保护、林分结构和生物多样性保护等方面的要求。

5.2 新建水土保持林工程设计

Ⅰ 造林准备

5.2.1 本条规定了水土保持林工程造林设计树种选择应遵循的原则。

5.2.2、5.2.3 这两条规定了水土保持林工程设计对种子、苗木质量方面的要求,对于规范中没有提及的要求,可按照行业内相关的标准和规范执行。

5.2.4 水土保持林工程造林树种及其比例选择的要求不好统一规定,规划设计单位可以根据当地的实际情况选择合适的树种和比例。水土保持林工程苗木的数量和质量是保证工程成败的关键,可根据工程的实际情况选择外购或者自建苗圃,如果需要自建苗圃则需要考虑地势、土壤、光照、水源、排水、交通等方面的要求。水土保持林工程如果需要建母树林,也应考虑立地条件、光照水源、林分密度、树冠发育状况、结实能力等方面的要求。

5.2.5 本条规定了水土保持林工程整地方式、整地规格、整地时间及栽植配置等方面的要求。

5.2.6～5.2.8　这几条规定了造林密度、造林方式、造林季节、造林时间等方面的要求。

5.2.9、5.2.10　这两条规定了造林后松土除草的时间间隔和技术要求,松土、除草是未成林抚育的主要措施,松土的时间间隔和除草的深度都应按规定执行。

5.2.11　林地施肥和化学除草剂的使用容易造成土壤板结或严重生态后果,如需使用应符合农业和环保等行业的相关规定。

5.2.12　本条规定了不合格造林地的补植具体要求。

5.3　水土保持林改造工程设计

5.3.1、5.3.2　这两条规定了水土保持林抚育目的以及进行抚育经营措施的适用条件。水土保持林抚育目的是促进林木生长和维持合理的林分结构,增强水土保持林的生态功能。

5.3.3　本条规定了水土保持林郁闭后的经营管理措施包括间伐、修枝和卫生伐等。郁闭后森林经营的目的是调整树种组成与林分密度,平衡土壤养分与水分循环,改善林木生长发育的生态条件,缩短森林培育周期,提高木材质量和工艺价值。各地要根据社会经济条件、森林的生长发育状况与培育目标将各种抚育措施有机地结合在一起。

5.3.4　本条规定了水土保持林管护的主要任务。

5.3.5　本条规定了低效水土保持林改造的基本原则和要求。

5.3.6　本条依据国家现行标准《生态公益林建设　技术规程》GB/T 18337.3、《低效林改造技术规程》LY/T 1690,规定了低效水土保持林的改造对象。改造的对象为未能适地适树,林木长势衰退、趋于老化的林分,病虫害严重、生长不良、无培育前途的林分,受自然或人为因素严重危害、林相残破的林分,未抚育或抚育不及时而失去价值的中、幼龄林分,干旱或水涝严重影响林木生长的林分,林木分布不均、部分林地郁闭度过低的林分。

5.3.7、5.3.8 这两条依据国家现行标准《生态公益林建设 技术规程》GB/T 18337.3、《低效林改造技术规程》LY/T 1690,规定了低效水土保持林的改造方法。

5.3.9～5.3.11 这几条规定了水土保持林的更新条件、更新方式、更新采伐作业方式。水土保持林更新的主要依据是防护成熟及林分健康状况。对达到更新条件的林分应以天然更新和人工促进天然更新为主,人工更新为辅。更新采伐时要控制好采伐强度和间隔期。

6 森林保护工程设计

6.1 一般规定

6.1.1 森林保护工程设计应以森林保护的科学理论为指导,认真贯彻"预防为主,综合防治"的森林保护方针,积极建立科学、规范的森林保护专业管理体系,不断增强预防和控制森林火灾、林业有害生物和其他灾害的综合能力,确保水源涵养林的资源安全和多效益发挥。森林保护工程设计应从全局出发,统筹兼顾,以提高工程效益为目标,坚持科学性与实用性结合,近期与远期结合,重点与一般结合的原则。

6.2 森林防火

6.2.1 本条依据水土保持林工程森林防火的需要,规定了水土保持林森林防火工程设计的主要内容包括森林火险预测预报工程设计、火情瞭望监测工程设计、森林防火阻隔工程设计、林火信息和指挥工程设计等内容。

6.2.2~6.2.4 这几条依据现行行业标准《森林防火工程技术标准》LYJ 127 中森林火险气象预测预报站、森林防火瞭望工程和林火阻隔工程的一般规定,明确了水土保持林工程中森林火险气象预测预报站、火情瞭望监测工程和林火阻隔工程建设的控制范围。

6.2.5~6.2.8 这几条规定了水土保持林工程森林防火阻隔带网森林防火道路、林火信息与指挥工程等的建设要求。

6.3 林业有害生物防治

6.3.1 林业有害生物防治的基本原则是"预防为主、科学防控、依法治理、促进健康",方法主要是生物、物理和化学防治方法。

6.3.2~6.3.6 这几条规定了林业有害生物防治的技术措施和具体要求，主要涉及生物、物理和化学防治方法，其中以生物防治方法为主，化学防治作为应急措施。林木种苗检疫是防控外来林业有害生物侵害和蔓延的必要措施，必须在林木种苗调运过程中强制执行。

6.4 其他灾害防治

6.4.1~6.4.5 除森林火灾、林业有害生物危害之外，水土保持林的其他灾害还有鸟害、畜害、兽害、冻害和风沙危害等。对这些灾害防治不力都会造成水土保持林工程的失败，所以应进行针对性设计和除害。

7 配套工程设计

7.1 一般规定

7.1.1~7.1.7 水土保持林工程建(构)筑工程的布设应本着满足需要、节约资源、合理利用的原则布设,既要保证功能的发挥,又要与周边环境相协调,还要考虑发展的需要。

7.2 管护用房

7.2.1 为满足水土保持林的管护需要,水土保持林工程应建设管护用房。考虑到水土保持林工程一般离城镇和居民区较远,主要的管理人员一般在城镇居住和办公,工程管护用房只是为管护人员提供临时的生活用房,其建筑工程量一般不会很大,这里没做硬性的规定,但对辅助建筑工程作了规定。

7.2.2、7.2.3 这两条规定了水土保持林工程中管护用房的材料要求,管护用房设计的技术要求等。

7.3 道路工程

7.3.1~7.3.7 水土保持林工程中的路网建设是辅助生产设施的主要组成部分,路网建设不仅要考虑交通、运输和防火等功能的发挥,还要考虑投资成本的节约。水土保持林工程道路工程建设应遵循的技术标准、本规范没有提及的标准应按照林区道路相关标准执行。

7.4 其他工程

7.4.1~7.4.3 这几条规定了水土保持林工程给水工程包括的内容,管护用房、种子园、母树林、苗圃和各种站点的供水方式以及林地的排水工程建设的技术要求。

7.4.4~7.4.8 这几条规定了水土保持林工程供电工程、供热工程、通信工程、有线广播和电视工程设计应遵循的有关规定。

S/N:1580242·741

统一书号：1580242·741

定　　价：12.00元